启发文化
CheerFly

导读手册

启发 精选 神奇透视绘本

启发童书馆

出　版：北京联合出版公司
　　　　Beijing United Publishing Co.,Ltd.

策　划：北京启发世纪图书有限责任公司
　　　　台湾麦克股份有限公司

发　行：北京启发世纪图书有限责任公司
　　　　北京市西城区德胜门外大街83号德胜国际中心B座1201室
　　　　(010) 59307688　www.7jia8.com

"透视"更广阔的科学世界

◎刘淑雯　台北市立大学教授、特教学者、阅读教学名师

◎黄明宏　台北市小学教育名师、华东康桥国际学校主任

在信息传播蓬勃发展的今天，只要一打开电视，或阅读手机上网络推送的新闻，就会发现生活中充满各种各样新奇、闻所未闻的事件或研究，比如塞卡病毒、冰川融化、自动驾驶汽车，以及拉尼娜现象等。要了解这些与我们生活息息相关的主题，多数情况下，只学习单一的知识是不够的，需要收集跨领域、跨学科的综合知识，加以演绎与运用。你将会发现：跨领域学习中，到处暗藏着四个字母——S-T-E-M。

STEM，是科学（Science）、技术（Technology）、工程学（Engineering）及数学（Mathematics）这四门学科的英文首字母缩写。在这个越来越多样化的世界，成功不在于拥有多少知识，而在于我们运用习得的知识做些什么。所以 STEM 教育应运而生。

美国《下一代科学标准》（Next Generation Science Standards，NGSS）中，提到"用七个跨学科概念来看待世界"。现今世界各国，也纷纷不遗余力地推动 STEM 教育。为什么它那么重要呢？

一直以来，科学、技术、工程学及数学这四个学科都是被分开教学的，而工程学在教室里的存在感最弱，往往被忽略。最近兴起的 STEM 教育，不仅强调学生要学习内容，还强调了学以致用——将科学、技术、工程学和数学中的原理和技能等各种信息收集、梳理、评估、探究、考据，然后运用联结、统筹的技巧来解决实际难题。

2017 年中国教育部颁布《义务教育小学科学课程标准》规定，小学一年级就开始教授科学课程。标准中明确指出：小学科学课程是一门基础性、实践性、综合性课程。早期的科学教育，会对一个人科学素养的形成产生十分重大的影响。课程更强调以学生为主体，倡导探究式学习思维，倡导跨学科学习方式。

《启发精选神奇透视绘本》的出版，恰逢其时，将为孩子们开启更宽广的阅读视野。接下来将介绍如何将本系列书的阅读和科学课程标准衔接起来，以及如何根据 STEM 教育设计一些拓展活动，希望这些建议能抛砖引玉，给各位读者带来一些启发。

《启发精选神奇透视绘本》特色

你最喜欢的书，很可能不是学校的科学课本，反而可能是《是谁嗯嗯在我的头上》《这样的尾巴可以做什么》《身体大发现》《哇！我不知道的动物奥秘》，或其他任何书。

不管是虚构类还是非虚构类绘本，都可以促进、提高学生的情感发展能力和知识水平。绘本很吸引小孩子，他们能够将有创意的图画和迷人的故事情节，与自己的生活轻松地联结起来。一本能颠覆静态阅读、可以自主操作、解决问题的绘本，更容易吸引孩子。

《启发精选神奇透视书》系列共5册，设计新颖、阅读舒适的大开本、多种互动体验方式、富有个性的卡通人物作为科学向导，打破常规的阅读方式，

孩子在"做中学"，为家长和老师提供了易于使用的引导方法。

● 认知全面，"透视"揭秘

无须阅读大量繁复的内容，孩子就能直接认知事物的整体结构，接收到更多领域、更多元的知识点，建立起更全面的知识体系。书中独特的立体透视和平面透视设计，轻松揭秘人体、自然、机械和世界内部看不见的结构，细节十分丰富详尽。

● 寓教于乐，双向互动

用文字和图画交织出一个神奇的知识剧场，带领孩子享受科学、享受阅读。将阅读和儿童亲身体验结合起来，使单一的接收变成双向的互动，以孩子为主体，带给孩子不同的启发和乐趣。

5E 教学模式

另外，老师可以尝试在课上使用 5E 教学模式。5E 教学模式，即引入（Engagement）、探究（Exploration）、解释（Explanation）、精致（Elaboration）、评价（Evaluation）。

5E 模式，有益于反转传统教室中的师生角色，使孩子成为主动探究者，积极探索发现进而得出自己的结论，担负起自主学习的责任。这也正是 STEM 教育所希望达成的：使学生成为主动学习者，学习提出问题、建构求证、解决问题，进而成为终生学习者。

不可不知的作者

在和孩子共读时一定要记得与孩子分享、介绍作者。这不仅可以帮助孩子理解作者的创作理念和背景，也可以引发他们阅读作者其他系列作品的兴趣。

苏菲·多瓦（Sophie Dauvois）博士是一位经验丰富的科学家和科学传播者，拥有生理学博士学位和传播设计硕士学位。她长于法国山间，现与 14 岁的儿子定居英国伦敦，担任 OKIDO 工作室出版人兼总编辑。

OKIDO 工作室最初位于英国伦敦布里克斯顿，后来设计团队常去市区附近颇负盛名的涂鸦酒吧聚会，进行各种企划头脑风暴。这群设计师来自世界各地，各有所长，但都对自然科学充满

热情。他们共同制作、发行了双月刊《OKIDO》科学杂志，每期针对 3 ～ 8 岁儿童，设计制作满满 48 页有趣的科学议题和生活实验，用创意和乐趣探索科学知识的奥妙，内容包罗万象，致力于通过活动、游戏、实验、故事、歌谣等，带领孩子好好"玩"科学。

了解了创作者的背景后，相信读者就更能理解作者为何能对这么多的科学主题如此熟悉，设计得如此精妙，简直颠覆读者过往的阅读体验。现在，就让我们跟着《启发精选神奇透视书》系列，和孩子一起，开启更宽广的阅读视野吧！

老师可以带着孩子以蝴蝶的一生为蓝本设计活动。准备一个纸盘，以不同形状的意大利面代表蝴蝶生命周期的每一个阶段：比如珍珠形的意大利面代表卵、螺旋形意大利面代表毛毛虫、贝壳形意大利面代表蛹、蝶式领结形意大利面代表蝴蝶，再以绿色、褐色和黑色的马克笔或彩色铅笔，引导孩子在纸盘上制作蝴蝶的生命周期图。

• 《从家到太空透视世界书》

我们可以从太阳、星星和月亮的主题着手，衔接地球与宇宙科学（学习内容13.3）"月球围绕地球运动，月相每月有规律地变化"进行教学。

老师可以操作并引导以下活动：

1. 请学生以科学家的方式画出一个月亮并着色。发下白纸，并提醒在纸张两侧留下可供书写的空间。

2. 让学生将"月亮"两字写上作为标题，小组分享他们的图画，彼此观摩画出来的不同样子的月亮。

3. 轮流分享有关月亮的知识，记录在图画旁，用线连起来形成一个网（心智图），讨论月亮的形状为什么会一直变化。

4. 了解月相变化。将铅笔插进塑料球内，握在手里代表月亮。请学生以自己的头代表地球。提问：老师举起来的灯泡代表的是宇宙中哪个天体？

学生拿起月亮对着灯光，将它拿到稍微高于灯光的位置以模仿新月，再将月亮慢慢移到自己的左边，然后转一圈，仔细观察月亮球面光亮形状的变化。

● **实作探究，直觉体验**

以活动、游戏、实验、手工、故事、歌谣等方式，打破传统科学教育常规方法的束缚，使科学与艺术、数学、自然、生活、社会和谐且愉悦地并存。每个单元皆有对应的主题活动。孩子可以边阅读边操作，就能获得直观的认识与体验，提高解决问题的能力。

另类阅读，活化大脑——教学与导读的操作建议

《启发精选神奇透视书》系列，覆盖了生命和生活环境六大科学领域：人体、自然、机械、动物、建筑、家庭。通过轻松自在的阅读，孩子可以深刻领悟到身边事物的不可思议之处，以及其中蕴含的各种基本原理和定律。

老师和家长可先借《咦？神奇透视书！》，引导孩子从感兴趣的单元开始阅读，之后再按照孩子的不同喜好，选择身体书、动物书、科学书、世界书任意一册，继续往下探究。这是一种另类的阅读方法，可以让读者享受到魔法般的阅读体验。

● **《咦？神奇透视书！》**

在引导孩子阅读《咦？神奇透视书！》之前，建议先布置一个暗房（关掉室内的灯，或者和孩子一起躲在被子里），问问孩子：可以清楚地看见物品吗？什么可以帮助我们看得更清楚？孩子可能有各种答案，请先予以肯定，最后总结：我们需要光来看见物体。然后，打开手电筒或其他光源，和孩子一起共读这本有趣又充满知识的书。

本书共分五大部分：人体构造、自然奥秘、机械结构和建筑结构，以及互动游戏。从我们的身体开始，看看骨骼是如何随着年龄变长的？笑的时候，脸部肌肉如何运动呢？把闹钟拆解，观察构造，了解为什么一到我们设定的时间，它就会丁零丁零响起来？汽车和城堡的构造是什么？建筑物里的电线以及其他管线是如何配置的？电梯又是怎么把乘客送到想去的楼层的？演出的舞台暗藏哪些机关？……这些内容很好地契合了小学科学课程标准中的物质科学、生命科学、地球与宇宙科学、技术与工程四个领域的内容标准，教学时信手可用。

本书别出心裁的创意，将传统的静态阅读，变成了充满惊喜的探索游戏，打开某些特别的图片，朝向灯光，会赫然发现其中藏着的小秘密——好像我们的眼睛可以发出 X 射线，看到图像的背面似的！就像虚拟现实一样，让我们沉浸其中，似乎人人都有神奇透视眼，人人皆是光影魔术师！最后的互动小游戏，令读者轻轻松松就能画出透视图，深入浅出地引导读者欣然进入自然科学的神奇世界。

●《从影子到机器人透视科学书》

如果孩子对光影感兴趣，《从影子到机器人透视科学书》中"光从哪里来的呢？""光影游戏"等，都是非常适合延续阅读的主题。这些主题，会为孩子将来学习物质科学（学习内容 6.2）"太阳光和光传播"打下良好的基础。

另外，课程标准中物质科学领域的活动建议中，要求观察水、油、醋和牛奶等液体，并引导孩子归纳总结它们的共同特征，如：可以倾倒、具有流动性（形状可以改变）、有固定的质量和体积等。为衔接这部分内容，很适合引入本书"神奇的水"这个主题。

在日常生活中，经常能看到这样一些变化，如利用水结成冰的现象，尝试分析其变化的特征。水结成冰是水的状态发生了变化，由液态变成了固态。无论是液态的水，还是固态的冰，都是同一种物质。因此，这种变化是没有生成新物质的变化。

书中特别设计的活动"热水、冷水变魔术"和"制作酷炫水果冰棒"，可以让孩子理解水的形态变化，与课程标准中物质科学（学习内容 2.1）"水在自然状态下有三种存在状态"灵活地衔接起来。

●《从头到脚透视身体书》

结合 2017 课程标准中生命科学（学习内容 10.2）"人体具有进行各种生命活动所需的器官"，我们可以先向孩子提问：我们每天生活中都要吃喝，食物都到哪里去了呢？再让孩子画出人体构造图。我们可以为年纪小的孩子设计人体构造拼图，比如使用无纺布，制作可以粘贴或撕下的立体器官。也可以准备一些平时孩子常吃的食物模型，请他们在人体构造拼图上模拟食物的经过路线，或请他们将图上食物消化所经过的身体器官涂色。

回到《从头到脚透视身体书》，翻到"吃东西"，引导孩子思考，或再提问，比如：食物在身体里发生什么变化？食物的大小会有影响吗？鼓励孩子们拓展思考，或延伸阅读本书"上厕所"主题，继续讨论。

再举个例子：试着对孩子提问，你的头里面有什么？让孩子思考，用图画或模型表达自己的理解，再回到《从头到脚透视身体书》"我的大脑"那一节，澄清所知。还可以进一步拓展，和孩子讨论时下既先进又重要的"人工智能"议题，甚至可以请年龄较大的孩子提出自己的设计思路，培养孩子的 STEM 思维模式。为他们之后学习生命科学（学习内容 10.3）"人脑的功能"做好知识储备。

延伸阅读本书讨论人体其他的构造，比如："我的皮肤""我的骨头""我的肌肉"。那些丰富完整的内容，全方位回答了孩子从头到脚各种问题。

●《从蚂蚁到大象透视动物书》

了解了人体构造后，那么人以外的动物呢？地球上生活着不同种类的动物。让我们通过《从蚂蚁到大象透视动物书》，和孩子一起探索吧。

以"动物如何生宝宝呢？"为例，老师可以衔接课程标准中生命科学（学习内容 11.1）"生物有生有死；从生到死的过程中，有不同的发展阶段"。书中许多动物（比如鱼类、鸟类、爬行类和哺乳类动物），有比较简单的生命周期：在出生或被孵化出来后，慢慢成长为成年动物。两栖类的生命周期比较复杂：从卵中孵化出来后，用鳃呼吸，生活在水里，至成年后，它们会迁移到陆地上，在空气中通过皮肤和肺呼吸。大部分昆虫，拥有变化巨大的生命周期，会经历卵、幼虫、蛹和成虫不同阶段。少数昆虫，如蜻蜓、蚱蜢和蟑螂，则经历一个不完全变态期，即从卵到若虫到成虫，不经历蛹的阶段。

从蚂蚁到大象
透视动物书

从蚂蚁到大象透视动物书

文:〔法〕苏菲·多瓦　　图:〔英〕OKIDO 工作室　　翻 译:禾 力

你是哪种动物呢?

这里找找看！

动物是什么呢？ 8

动物大家族 10

腿、尾巴和翅膀 14

动物住在哪里呢？ 18

亚马孙热带雨林 22

忙碌的海洋 26

家，甜蜜的家 28

动物吃什么呢？ 30

制作动物松饼 34

动物的一天 36

互相帮忙 40

蚁穴 42

动物如何生宝宝呢？ 44

动物家庭 48

为什么动物这么特别呢？ 50

动物的感觉 54

好久好久以前的动物——恐龙 58

如果动物都不见了 60

我要怎么使用这本书呢？

你准备好来一趟动物冒险旅行了吗？动物住在很多不同的地方，有一些住在高高的空中，有一些住在地下，还有一些住在水里。

你好，我是可可，我想学习关于动物的知识，你呢？

跟可可和小艾打招呼

你最喜欢哪一种动物呢？

嗨，我叫小艾，来吧，我们来看看能学些什么？

当你看到……

请一位大人协助你。

动手做做看！

认识探索好伙伴

这三名探索好伙伴热爱动物和冒险，跟着他们一起认识不同种类的动物吧！

我们喜欢问问题。

这是谁的脚印呢？

答案在第62页和63页哦！

好！出发……

动物是什么呢？

三位探索好伙伴正在讨论什么才算是动物。

1

这块石头是动物吗？

别开玩笑了，动物都有腿，但石头没有腿呀！

有没有腿不是判断是否是动物的唯一标准。动物是活的，有生命的，但石头不是！

2

花呢？花也是有生命的呀！

对呀，可花是植物，不是动物。

植物又不能动，怎么能算是"动"物呢？看，那只老鼠正在跑！

3

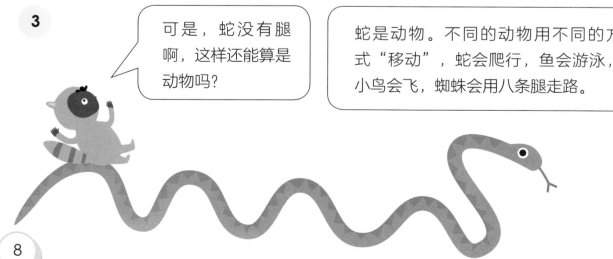

可是，蛇没有腿啊，这样还能算是动物吗？

蛇是动物。不同的动物用不同的方式"移动"，蛇会爬行，鱼会游泳，小鸟会飞，蜘蛛会用八条腿走路。

4

思考这么多事情，我肚子都饿了。

对了！每种动物都需要吃东西，但石头不需要。

所以说，动物是有生命的，都会移动，而且需要吃东西。

5

动物也会生宝宝，但石头不会。

动物都有感官，可以看见和感觉东西，但石头不可以。

我能感觉到你站在我的背上哦！

6

我有生命，会移动和吃东西，而且将来说不定会生小宝宝，我也有感官，那我算是动物吗？

对呀，你也是动物。动物有很多种样子，有小的也有大的，能做各种各样的事情。

动物大家族

动物可以分成哪些种类呢?

每一种动物都属于大家族里的一个种类,动物主要分成六大类:

哺乳类

为了保暖,哺乳动物通常长有毛发。

狗、猫、猴子和人都是哺乳类动物。

爬行类

爬行动物为了保护自己,会长出有鳞的皮肤。

蛇和蜥蜴是爬行类动物,都会产卵。

鱼 类

鱼有鳃,可以在水下呼吸。

它们都生活在水里,用鱼鳍来游泳。

昆虫类

昆虫有六条腿,身体分三部分。

瓢虫、蚱蜢和甲虫都是昆虫。

两栖类

两栖类动物既能生活在水中,也能生活在陆地上。

青蛙就是两栖类动物,在水里产卵。

鸟 类

鸟有尖嘴和长满羽毛的翅膀。

老鹰和鹦鹉都是鸟,大部分鸟都会飞。

请帮我把这些动物分分类。

你是哪种动物呢?

我是青蛙，能在水里游泳，也能在地面上跳跃。

我是甲虫，用六条腿快速移动。

我在海里游泳。

我是老鹰，依靠长羽毛的翅膀飞上云霄。

我是大猩猩，快点！我的宝宝饿了，想喝奶。

我是鬣蜥，喜欢坐在阳光下取暖。

没错，你是哺乳动物。

来玩动物分类游戏！

谁先凑齐六种动物谁就赢了！

游戏方法

两人或两人以上的游戏

① 把棋子放在"**开始**"的地方，轮流掷骰子。

② 说出骰子的数字，棋子移动同样数字的格数，停在格子上，猜图上的动物种类。

③ 猜对了，就可以在动物种类上打钩，猜不到，图案的背景颜色会给你提示！

④ 如果你移动到混合类动物的格子或是猜错，暂停一次！

⑤ 最先在六种不同动物类别的方格上打钩的人就赢了！

拍动你的翅膀，飞到下一只鸟那儿。

开始

我是混合类动物！我不属于任何一种分类。（暂停一次）

水深危险！

紫色　**鸟类**
我会拍动翅膀，用尖嘴啄东西。

浅蓝色　**鱼类**
我用鱼鳍游泳，用鳃在水里呼吸。

蓝色　**两栖类**
我既能生活在水中，也能生活在陆地上。

黄色　**昆虫类**
我用六条腿奔跑和爬行。

粉红色　**爬行类**
我有鳞状皮肤。

绿色　**哺乳类**
我的身体有毛发。

12

鸟类	昆虫类
鱼类	两栖类
哺乳类	爬行类

跳到下一个两栖类动物那儿。

如果还没猜对任何动物，请回到"开始"的地方继续游戏。

腿、尾巴和翅膀
一起来创作可以站立的纸上动物王国！

你需要

一张
A4纸

剪刀

彩色铅笔

需要大人帮忙

可以从下面这些动物中挑选一个，或请大人帮你画一只自己喜欢的动物。

1

把一张纸对折。

2

把你选的动物画在纸上，涂上色，折线要对准动物的背部。

3

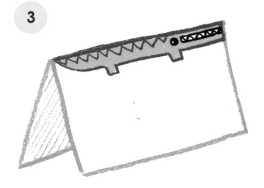

请注意，你画的动物要对称画在折线的两边，而且要记得画动物的脚，不然它就站不起来了！

4

把你画的动物剪下来，然后让它站立！

你的动物王国里，每只动物都站得又高又直！

创作一本动物翻翻书

一起来做百变动物书！每翻一页就会变出新动物。

你需要

4张A4纸
（1张彩色纸、
3张白纸）

铅笔　　　　订书机　　　　剪刀

需要大人帮忙！

---

1 四张纸叠在一起，将彩色纸放在最下面。把纸对折，彩色纸做书的封面。

2 请大人帮你把对折的地方用订书机订起来。

---

3 每一页都画上不同的动物，头画在上面，身体在中间，腿部在下面。

4 把每一页图画分成头部、身体和腿部三个部分，用剪刀剪开。

5 一翻页，就会发现动物们变成混合类动物啦！

你好，我是只猫猴鸭！

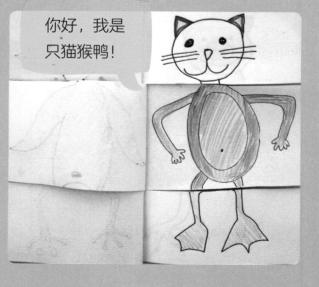

我是只鲨熊蛙！

动物侦探游戏

准备好了吗？快跟着动物们的脚印走。

它们正在野餐，请跟着不同的脚印走，看看到底是哪只饥饿的动物把探索好伙伴的食物偷走的！

活动

动物们是怎么活动的呢？

飞翔！我会用我的脚来帮忙降落。

爬行！我的爪子让我可以沿着河岸前行。

快速移动！爪子让我可以爬到树上寻找橡实。

奔跑、奔跑、奔跑！大大的脚趾能让我在沙地上快速奔跑。

蹦跳！我的后腿又大又强壮，让我可以跳得很远。

动物住在哪里呢？

各地都有动物！

它们住在热带雨林、高山、海洋和沙漠，有些甚至居住在世界上最热、最冷、最干燥的地方。

海豹

北极熊

我在冰冷的极地海洋里游泳。

黑熊

狐狸

我最喜欢住在沙漠里。

鸵鸟

认识一下住在海洋里的大型动物抹香鲸。

骆驼

沙漠

热带雨林

我住在世界上流域最广的河流——亚马孙河。

凯门鳄

大猩猩

抹香鲸

蛇

海洋

企鹅

18

找到我！

我是哪一种动物呢？你知道我住在哪里吗？

动物如何生存呢？

动物可以住在很多地方，从高山到深海，都能找到动物的踪迹。

山羊能爬到山顶上。

山顶

山羊的蹄子可以稳稳地踩在石头上。它还长着很长、很保暖的毛。

冰天雪地

北极熊有厚厚的毛皮和一层皮下脂肪，可以用来保暖。冬天来临的时候，熊妈妈会在雪地里挖一个洞，在洞穴里生宝宝。

炎热的沙漠

在炎热的沙漠里，昆虫要跑得很快才不会被烫到。

你找到骆驼了吗？它们会把脂肪储存在背部的驼峰里。

空中

鸟有一对长满羽毛的翅膀，能在高高的天空中飞翔。

地上

长颈鹿的长脖子能让它们吃到高大乔木上的叶子。

水池

青蛙在陆地和水里都能生存。

如果青蛙觉得热，它就会跳回水里。

海洋

许多海洋动物有鱼鳍和尾巴帮助它们游泳。

小鱼会成群地聚集在一起，这样大鱼会以为它们是一条很大的鱼，就不会吃掉它们了。

亚马孙热带雨林

让我们来探索一下这片雨林吧！

我们正在热带雨林里。猴子在树枝间摆荡，一群昆虫爬过雨林的地面，凯门鳄在河里游泳。

鹦鹉的颜色都很鲜艳，飞行时还会发出嘎嘎的叫声。

树冠层

鹦鹉在树梢上飞来飞去。

林下层

动物住在缠绕交错的树枝之间。

为了吃蚂蚁，食蚁兽的口鼻长得特别长。

森林地被层

蛇在地面上爬行。

亚马孙河

食人鱼在河里游泳。

凯门鳄在河里等待猎物靠近。

爱睡觉的树懒几乎整天都挂在树枝上。

上百万种昆虫住在亚马孙热带雨林里。

箭毒蛙的一滴毒液就能致人死亡。

来玩发现动物游戏
两人或两人以上的游戏

游戏方法

1 选择一种动物剪影，然后大声念出它的名字。

2 请另一个玩家也选择一种动物，并且念出它的名字。

3 然后翻到下一页，谁能最快找出自己选的动物，并大声念出动物的名字就赢了！

1 金狮面狨(róng)
2 大食蚁兽
3 凤尾绿咬鹃
4 玫瑰水晶眼蝶
5 箭毒蛙
6 倭狨(wō)
7 貘(mò)
8 蜜熊
9 鬣蜥(liè)
10 绿森蚺(rán)
11 角雕
12 水豚
13 树懒
14 螽斯(zhōng)
15 筑帐蝠
16 蓝闪蝶
17 美洲豹
18 龟
19 切叶蚁
20 黑凯门鳄
21 狐尾猴
22 蜘蛛猴
23 西貒(tuān)
24 巨嘴鸟
25 紫蓝金刚鹦鹉
26 僧帽猴
27 热带蜂鸟
28 虎猫
29 树蚺
30 蹼足负鼠(pǔ)
31 亚马孙河豚

23

亚马孙热带雨林里的动物

快点找到你选的动物，大声说出它的名字。

蜘蛛猴有长长的腿和手臂，住在高高的树上。

水豚长得像巨型荷兰猪。

绿森蚺会把猎物紧紧地缠绕起来，挤压至死。

箭毒蛙的颜色很鲜艳。

紫蓝金刚鹦鹉在树木间飞翔，寻找可以吃的果子。

蜜熊因为喜爱吃花蜜而得名。

树懒的长爪子让它们可以紧紧地攀在树上。

僧帽猴是娇小、聪明又调皮的猴子。

蓝闪蝶喜欢喝花蜜。

亚马孙河豚非常罕见。

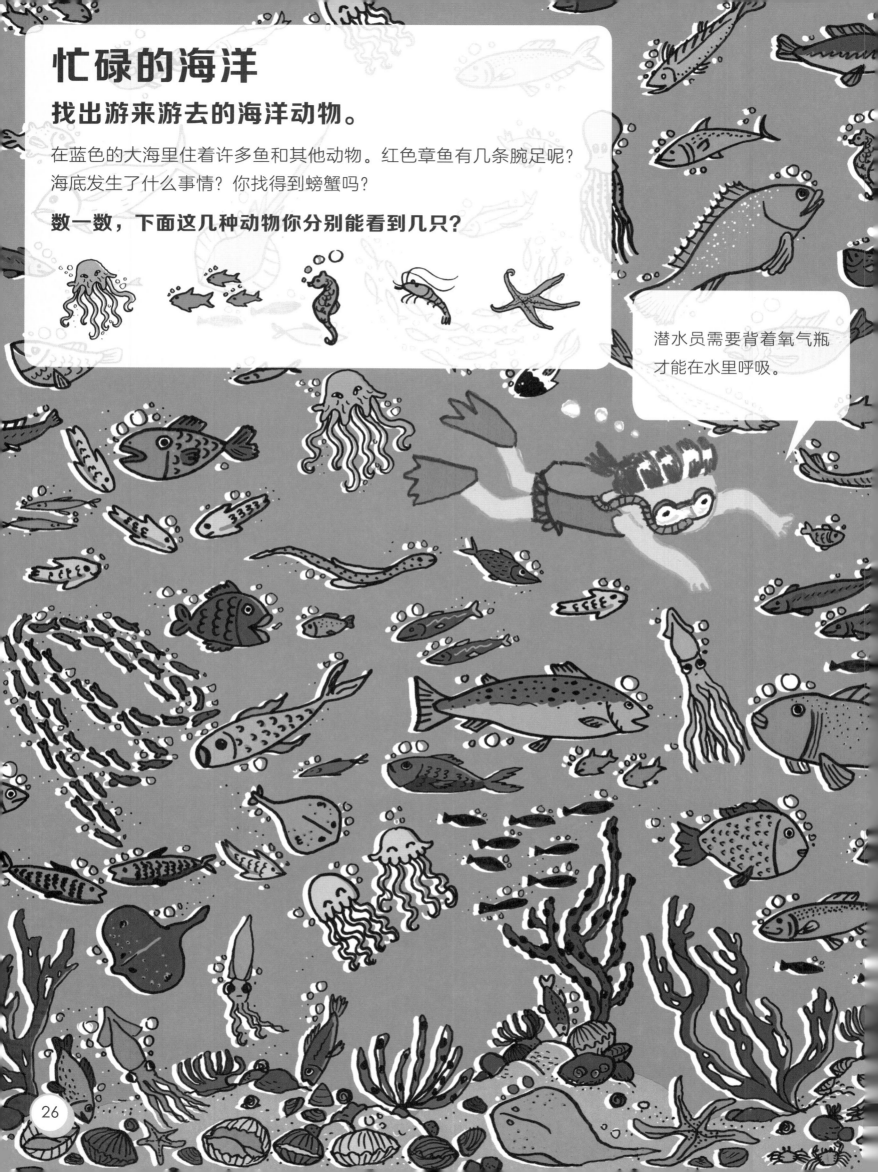

忙碌的海洋

找出游来游去的海洋动物。

在蓝色的大海里住着许多鱼和其他动物。红色章鱼有几条腕足呢？海底发生了什么事情？你找得到螃蟹吗？

数一数，下面这几种动物你分别能看到几只？

潜水员需要背着氧气瓶才能在水里呼吸。

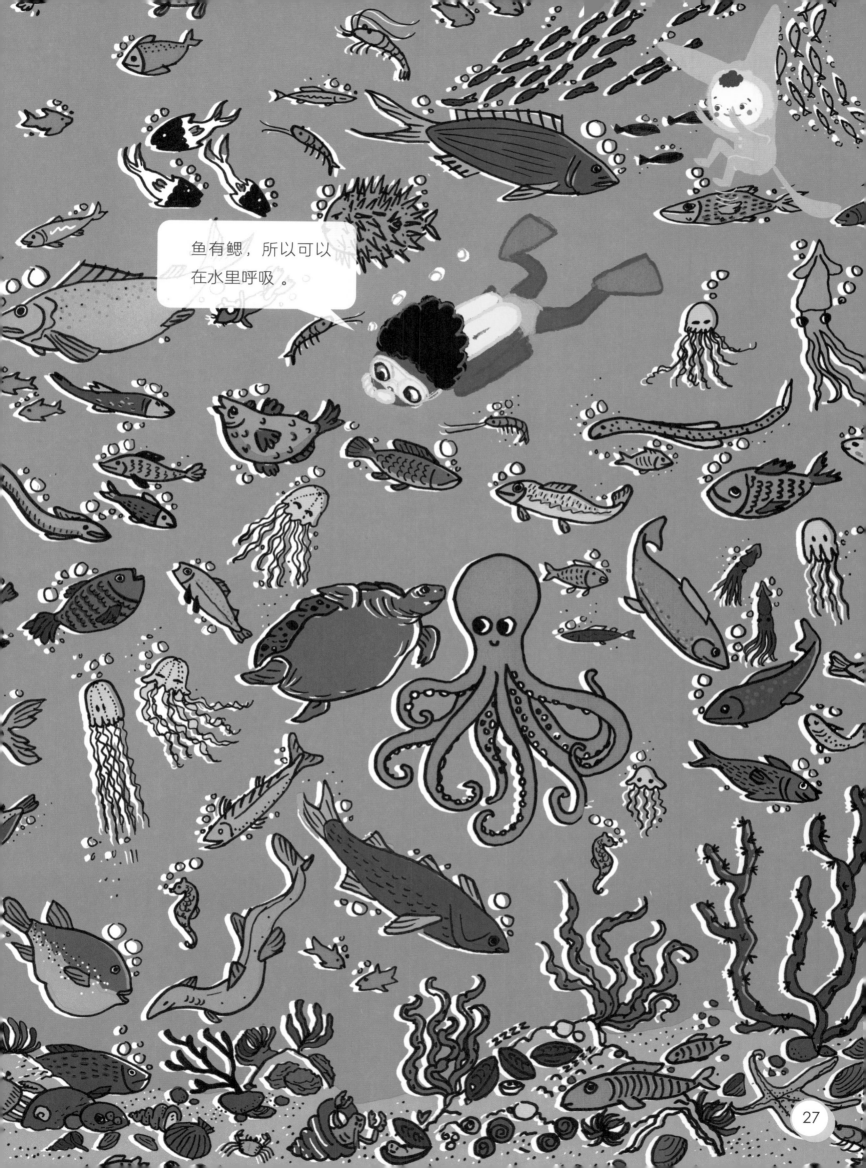

鱼有鳃，所以可以在水里呼吸。

家，甜蜜的家

1 小鸟、刺猬、松鼠和兔子玩了一整天。游戏结束后，松鼠邀请大家去自己家休息。可是松鼠的家在树上，刺猬和兔子根本跳不上去！

你为什么住在这么高的地方呢？

这样才安全，而且能使我的橡实保持干燥！

我家在地底下，我们去那里吧！

2 虽然松鼠很喜欢兔子的家，可是小鸟的翅膀被泥土弄脏了，刺猬的刺扎在土里了。

你的地洞为什么这么小呢？

这样，比我大的动物才进不来啊，比如狐狸！小小的地洞温暖又舒服。

刺猬建议大家到自己家做客。

6 三个朋友舒舒服服地躺在刺猬家的叶子上，享受阳光。它们喜欢一起玩，不过，当它们感觉很困的时候……

动物吃什么呢？

不同种类的动物是如何觅食的呢？

当你肚子饿的时候该怎么办呢？动物有很多不同的方法觅食。

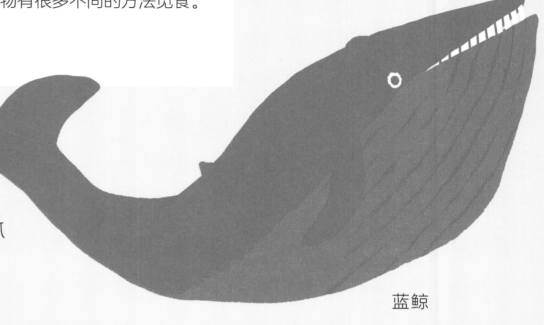

磷虾

嘴里有"梳子"

蓝鲸吃磷虾。因为磷虾太小了，蓝鲸需要用梳子状的须板才能抓住它们。

蓝鲸

磷虾

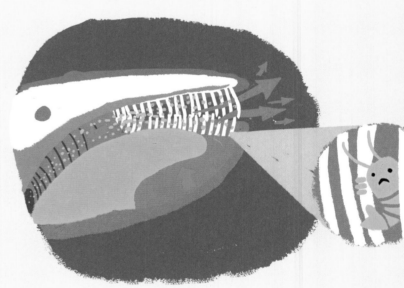

1 蓝鲸把水和几百万只磷虾都吞进大嘴巴里。

2 像梳子一样的须板会困住磷虾，接着蓝鲸就会一口吞下去（又叫鲸须滤食）！

超级耳朵

蝙蝠会发出特别的声音（即超声波），能帮助它们找到躲起来的美味。当声音从苍蝇那边反射回来，蝙蝠就能知道它的准确位置啦！

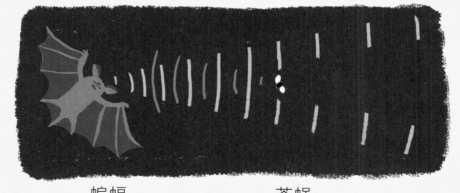

蝙蝠　　　　苍蝇

聪明的陷阱

蜘蛛会用陷阱
来捕捉食物，
这个陷阱就是
蜘蛛网。

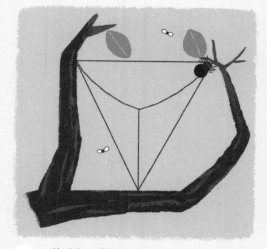

1 蜘蛛开始织网。

2 蜘蛛会先朝着中心点的方向开始织网。

3 然后会从中心点向外，顺着一个方向编织。

4 蜘蛛完成编织后，会待在网的中央。

5 抓到昆虫了！蜘蛛会先把昆虫缠绕起来，等一会儿再吃。

毒液

毒蛇有毒牙，能把
毒液注射到老鼠的
身体里。

变色

北极狐会趁猎物不注意时偷袭
猎物。夏天的时候北极狐的毛
是咖啡色的，就跟大地的颜色
一样。到了冬天，毛就会变成
白色的，和雪一样！

夏天是咖啡色

冬天是白色

用餐故事游戏
有的动物会吃掉其他动物！

用"食物链"游戏，编个好笑的动物故事吧。若使用相同颜色的方格，就会创作出真实的食物链故事啦。

游戏方法

两人或两人以上的游戏

每人轮流掷四次骰子，创作自己的故事。

 掷骰子吧！如果你掷出1，你的故事就会从"可可"开始。

 现在，再掷一次！如果你掷出3，故事就是：可可舔了……

1	可可

2	一条蛇

3	一头大象

4	一只蚊子

5	一只猫头鹰

6	一只青蛙

1	大口吞了

2	吃了

3	舔了

4	嚼了

5	咬了

6	吞了

一颗骰子、纸和笔

一只青蛙……咬了……一匹斑马……在海滩上。哈哈哈！

可可……舔了……一只蜘蛛……在满月的时候。啊！不！

再掷一次吧！如果你掷出6，故事就是：可可舔了一支冰激凌……

最后一次！如果你掷出4，故事就是：可可在海滩上舔了一支冰激凌。

1 一匹斑马

1 在洞穴里

2 一只蜘蛛

2 在灌木上

3 一只老鼠

3 在炎热的阳光下

4 一条蚯蚓

4 在海滩上

5 一堆树叶

5 在水池里

6 一支冰激凌

6 在满月的时候

制作动物松饼

你需要

鸡蛋…………1个
牛奶…………250毫升
自发面粉………250克
奶油…………25克

准备草莓、蓝莓、水果切片、
果酱和巧克力酱

需要大人帮忙！

1 在大搅拌碗里打入鸡蛋。

2 倒入牛奶。

3 把面粉筛进碗里，与牛奶、鸡蛋混合在一起。

4 搅拌所有材料，直到它们完全混合成细滑的面糊。

5 把奶油放到平底锅里加热，放入一大匙面糊。松饼煎到变成金褐色时再翻面。你可以多做一点，把面糊全部用完！

6 用果酱和水果切片，在松饼上做出眼睛、鼻子和耳朵。也可以把松饼对半切开或切成小块来做耳朵和翅膀。

草莓鼻子

蓝莓眼睛

香蕉、蓝莓
鼻子

草莓酱翅膀

香蕉耳朵

巧克力酱
嘴巴

动物的一天
动物们晚上在做什么呢?

当你睡着时,许多动物刚刚起床,去外面寻找食物或是待在安全的地方。太阳升起来后,这些夜行动物就都会去睡觉,其他动物会起床,出来寻找食物。

许多飞蛾晚上都还醒着。你看!它们很喜欢手电筒的灯光。

你能找出用嚎叫呼唤同伴的那匹狼吗?

猫头鹰的叫声听起来像什么呢?

来玩手影动物游戏

你需要

明亮的手电筒、你的双手、白色的墙壁或一大块白布

1. 在很暗的房间里，打开手电筒，照向墙壁或白布。

2. 坐在灯光前，来玩手影游戏。

3. 试试看，用手做出不同的手影，你能创造出哪些动物形象呢？

手影动物

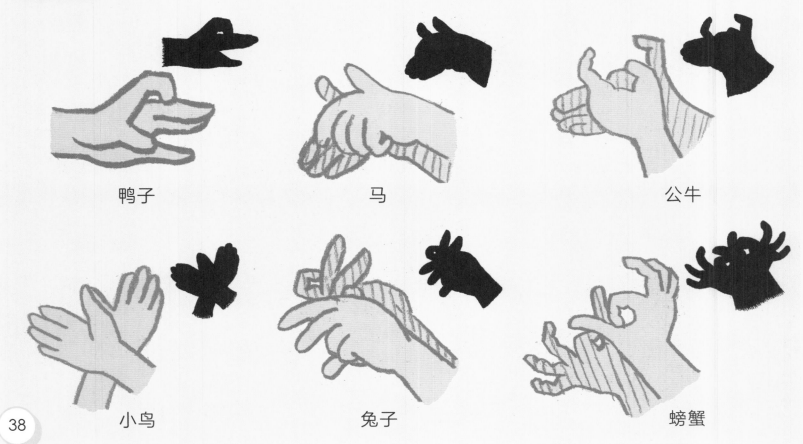

鸭子　　　　　　　　　马　　　　　　　　　公牛

小鸟　　　　　　　　　兔子　　　　　　　　螃蟹

来场动物叫声派对吧!

嗡嗡

哼哼　　汪汪　　喔喔喔　　喵　　啾啾　　咩

哞

呱呱

游戏方法

依照下面的排序,用动物的叫声以大声唱歌的方式唱出《动物之歌》!再来一次,你也可以重新排序,创作一首自己的《动物之歌》哦!

歌曲 1

歌曲 2

歌曲 3

互相帮忙

凶猛的鳄鱼认识了一只小鸟。

1 鳄鱼是河里最凶猛的动物。

2 凶猛的鳄鱼叫着："咬咬咬！嚼嚼嚼！"其他动物都很害怕，不敢靠近它。

3 有一天，凶猛的鳄鱼心情特别差，因为它的牙齿很痛。

4 它哭着说："好痛哦！"

6 小鸟对凶猛的鳄鱼说："你好！我想到一个好方法……"

5 当这只河里最凶猛的动物痛得尖叫的时候，一只勇敢的小鸟看到鳄鱼的嘴巴里有很多食物残渣。

7 "张开你的大嘴巴，千万不要吃掉我哦。我可以帮你止住牙痛！"

8 于是，小鸟帮凶猛的鳄鱼把塞在牙缝中的所有残渣都吃掉了。

9 凶猛的鳄鱼觉得好多了，小鸟也吃得很饱。它们真是好伙伴！

蚁穴

蚁后在哪里呢?

蚂蚁们会在地下建造很大的蚁穴,一起生活并照顾蚁后。每一只蚂蚁都有自己的专长。仔细观察图片,你能不能找出它们的专长呢?

你看！这只蚂蚁正在探险。

43

动物如何生宝宝呢?

不同种类的动物，生宝宝的方式也不一样。

每一种动物都会生宝宝，宝宝很快就会长大，然后再生出自己的宝宝，这个过程称为生命周期。让我们来看看动物都怎么生宝宝吧!

鸟下蛋

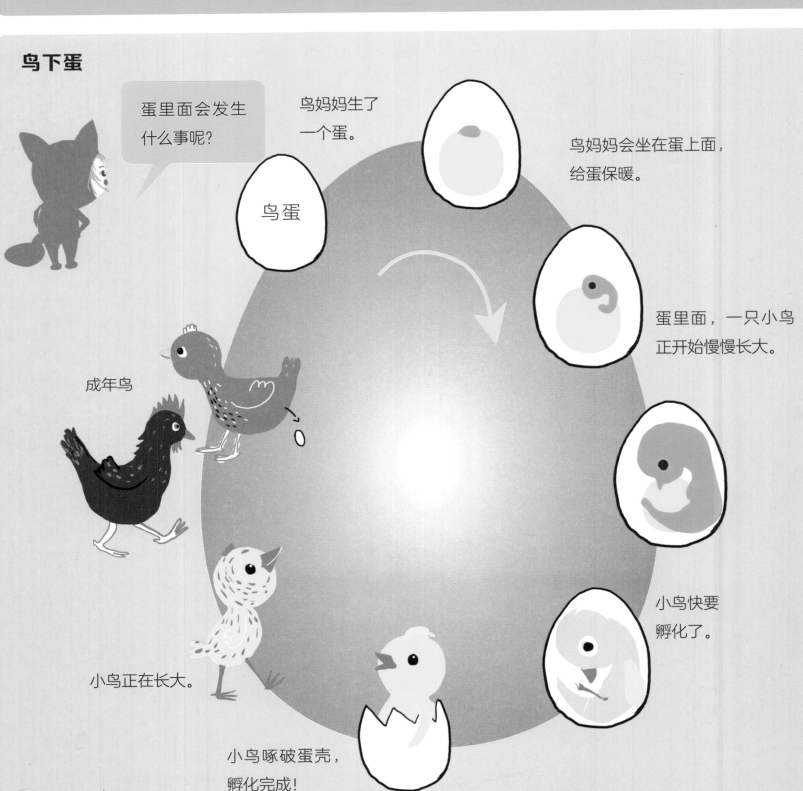

蛋里面会发生什么事呢?

鸟妈妈生了一个蛋。

鸟蛋

鸟妈妈会坐在蛋上面，给蛋保暖。

蛋里面，一只小鸟正开始慢慢长大。

成年鸟

小鸟快要孵化了。

小鸟正在长大。

小鸟啄破蛋壳，孵化完成!

青蛙产卵

青蛙妈妈在水里产卵。青蛙卵外面包着一层膜。

蝌蚪在青蛙卵里慢慢地长大。

很快，幼蛙的尾巴消失，变成了一只小青蛙。

成年蛙

蝌蚪长得越来越大了。

蝌蚪会游泳和吃东西，也能呼吸空气。

蝌蚪长成幼蛙。

蝌蚪长出后腿！

蛇产卵

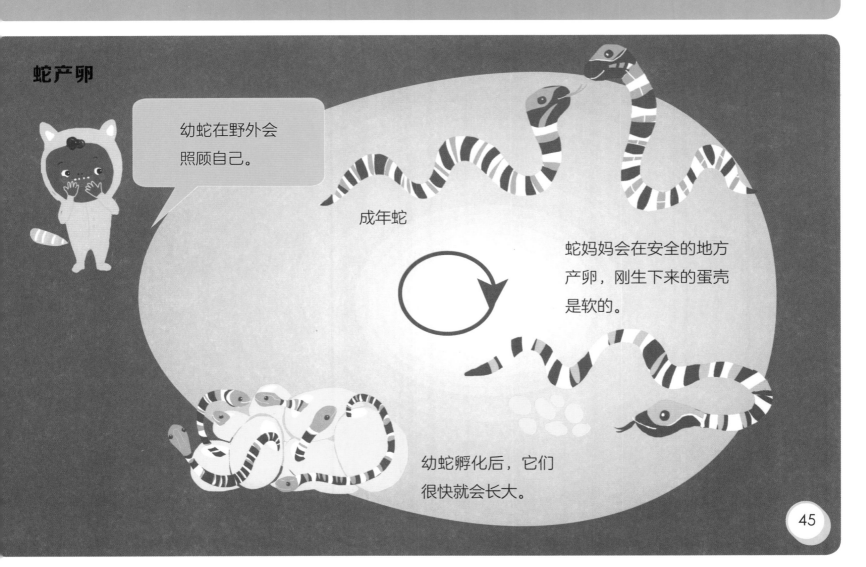

幼蛇在野外会照顾自己。

成年蛇

蛇妈妈会在安全的地方产卵，刚生下来的蛋壳是软的。

幼蛇孵化后，它们很快就会长大。

老鼠生幼鼠

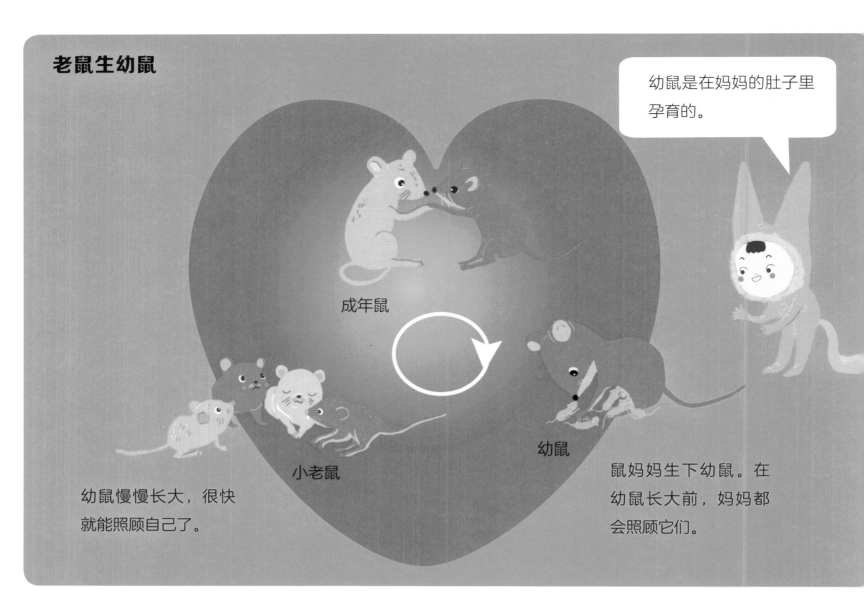

幼鼠是在妈妈的肚子里孕育的。

成年鼠

小老鼠

幼鼠

幼鼠慢慢长大，很快就能照顾自己了。

鼠妈妈生下幼鼠。在幼鼠长大前，妈妈都会照顾它们。

鱼产卵

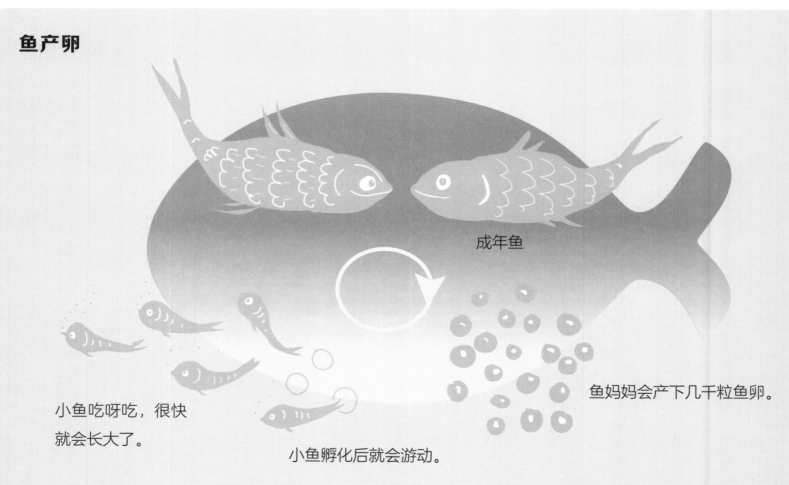

成年鱼

小鱼吃呀吃，很快就会长大了。

小鱼孵化后就会游动。

鱼妈妈会产下几千粒鱼卵。

蝴蝶的生命周期

来看图上蝴蝶的故事吧。

蝴蝶妈妈在叶子上产卵。

卵孵化后变成毛毛虫。

最后，蝴蝶破蛹而出！

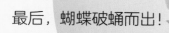

毛毛虫会在蛹里面
慢慢地变成蝴蝶。

毛毛虫吃够了，就会化蛹了。

毛毛虫不停地吃啊吃。

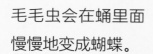

动物家庭

谁会照顾小宝宝呢？

不同的动物会用不同的方式照顾自己的宝宝，
努力保护小宝宝的安全。

小鸡

小鸡孵化后没多久就能走路，小鸡
会跟着鸡妈妈走来走去。

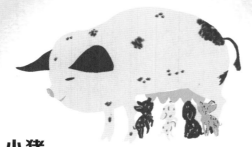

小狼

狼的家庭叫"狼群"，家族里的
每一匹狼都会参与照顾小狼。

小猪

猪妈妈一次会生十只左右的小猪，
小猪吮吸妈妈的乳汁长大。

小象

在走路时，为了保证安全，小象会用鼻子
卷住妈妈的尾巴。小象要过好几年才能长
成一头成年的大象。

当一只小猫在玩的时候，它也在学习将来需要具备的生存技能。

小树袋熊

树袋熊小时候会住在妈妈肚子上的育儿袋里。

小企鹅

企鹅妈妈和爸爸会轮流照顾小企鹅。

小海马

海马妈妈会把卵交给海马爸爸。海马爸爸会把卵放在肚子上的育儿袋里，直到小海马孵化出来。

我可以听到小鳄鱼在孵出前呼唤妈妈的声音。

小鳄鱼

在水里，为了安全，小鳄鱼会坐在妈妈的背上。

为什么动物这么特别呢？

你知道吗？动物会躲起来让人们看不见！

动物有许多聪明的方法来保护自己或静待猎物。例如跟大自然融合成相同的颜色，让其他动物看不见，这叫伪装。

谁住在这里？

谁住在这些地方呢？

海洋

沙漠

雨林

极地

这些动物会躲在哪里?

请你把下面这些动物和它们住的地方配对!

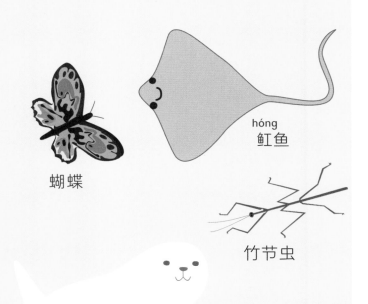

蝴蝶

虹鱼 (hóng)

竹节虫

海豹

蜘蛛蟹

兔子

变色龙

海星

北极狐

蛇

来画动物鹅卵石!

你需要

- 一个朋友
- 油漆和刷子
- 四块小鹅卵石

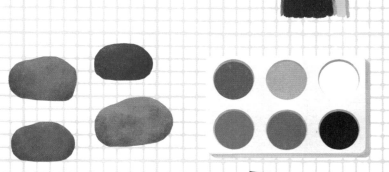

1 在鹅卵石上画出小动物的样子。

2 跟朋友轮流把鹅卵石藏在花园或公园里。

看看这些动物鹅卵石是怎样跟大自然融合在一起的。记得要把它们藏在可以伪装起来的地方哦!

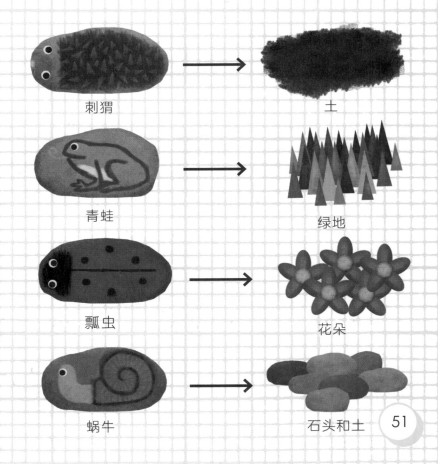

刺猬 → 土

青蛙 → 绿地

瓢虫 → 花朵

蜗牛 → 石头和土

动物躲在哪里呢?

非洲大草原看起来是金棕色的,因此许多动物为了能伪装在沙漠或干草里,都有着金棕色的毛或皮肤。

请你寻找这些躲在非洲大草原上的动物。

					liè		qú jīng
獴	鸟	瞪羚	甲虫	巨蜥	鬣狗	陆龟	鼩鼱

蜘蛛	狮子	蜥蜴	昆虫	蛾	壁虎	老鼠	狐獴

动物的感觉

什么是五感？

你用皮肤触摸，用眼睛看，用鼻子闻，用舌头尝味道以及用耳朵听，这就是五感。许多动物拥有超级五感哦。

五 触觉

视觉

听觉

感 嗅觉

味觉

超级触觉

当猫在钻过较小的空间时，它的胡须可以帮助判断距离。

超级视觉

猫头鹰虽然身体小小的，却有一双超大的眼睛。在黑暗的地方，猫头鹰甚至能清楚看到远方足球场上的一只老鼠！

超级听觉

大象能听到我们所听不到的低频声音。当一头大象跺脚时，附近的大象就能用腿和长鼻子感知到地面传来的隆隆声。

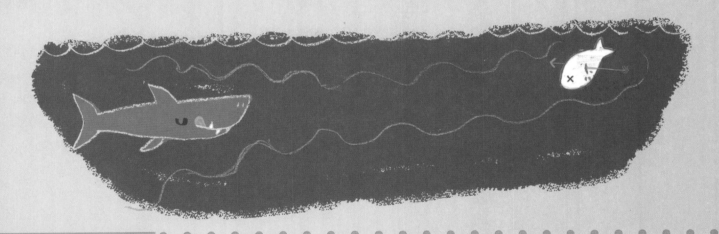

超级嗅觉

鲨鱼有个很大的鼻子，当它在海里游泳时，可以闻到非常远的地方的一滴血的味道。

超级味觉

苍蝇能用自己的脚尝味道。当它用脚尝到好吃的东西后，就会用它的舌头咕噜咕噜地啜吸。

呃！

迷你动物马戏团

快来呀！来看史上最神奇的昆虫和蜘蛛。

昆虫和蜘蛛会很多有趣的把戏，现在就让你看一些世界上速度最快、身体最强壮，又最会要杂技的小家伙们。

苍蝇

我会用网做出降落伞，啊——

你看那些蜘蛛！它们正用八条腿快速地爬行！

蜘蛛

蜘蛛

如果人类的弹跳力像我一样，就可以跳到摩天大楼上啦！

跳蚤

我们是鼠妇，我们可以把自己蜷成球形，滚来滚去！

我的眼睛其实是由许多许多小眼组成的，我可以看到我身后发生的事情！

苍蝇

鼠妇

我是个杂技演员，特别的脚垫能让我倒挂自如。

这里有世界上最强壮的昆虫——独角仙。

这是世界上飞行速度最快的昆虫——蜻蜓。

蜻蜓

在所有昆虫中我跑得最快。我身上的银色外衣让我在很热的地方也能保持凉爽。

独角仙

银蚁

我可以在水上行走，我有像船桨一样的脚。

水黾

好久好久以前的动物——恐龙

恐龙是什么时候住在地球上的呢？

好久好久以前，恐龙就生活在地球上了。我们之所以会认识这些巨兽，是因为我们发现了保存在地下的恐龙化石。

神秘的恐龙

这是哪种恐龙的脚印呢？

这么大的骨头到底是谁的呢？

恐龙化石能告诉我们所有关于它们生活的事情。

有一些恐龙很温和，只吃植物。

什么动物会从这么大的蛋里面孵出来呢？

小恐龙孵出来了！

恐龙不会飞，可是它们的爬行类亲戚翼龙就会飞。

什么恐龙有这么大的牙齿呢？

有些恐龙会吃其他恐龙，所以需要锋利的牙齿。

有一些恐龙很凶猛，它们会猎食其他恐龙。

没有人知道恐龙为什么灭绝了，但是科学家们有许多假设。

如果动物都不见了

可可做了一个梦，如果动物们觉得住在地球上好无聊，会发生什么事呢？

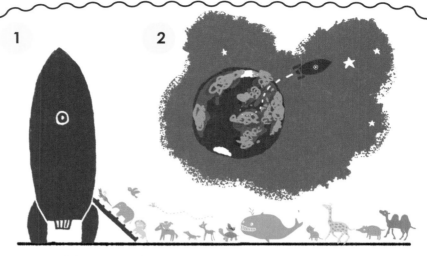

某一天，动物们受不了人类一直破坏地球，就搭乘火箭离开了。

3 树上没有鸟儿唱歌。

4 海洋里也没有鱼儿游泳。

5 没有蜜蜂，没法给花儿授粉了。

6 每个地方、每样东西都是灰蒙蒙、脏兮兮的，让人难过。

7 每个人都很难过，感到灰心。

8 探索好伙伴告诉大家：如果把地球变干净，动物说不定就会回来！

9 所以人们开始行动⋯⋯

10 大家种了许多树，整理干净每个地方，小心地呵护地球。

11 地球很快又变回原本绿油油的样子了！

12 动物们经过地球的时候，发现地球又变绿了，于是它们决定回家。

13 大家都好开心。从此人类好好保护地球，和动物们一起幸福地生活在共同的家园里！

答案

动物大家族
（第10~11页）

两栖类 　　 昆虫类 　　 鸟类

哺乳类 　　 爬行类 　　 鱼类

动物侦探游戏
（第16~17页）

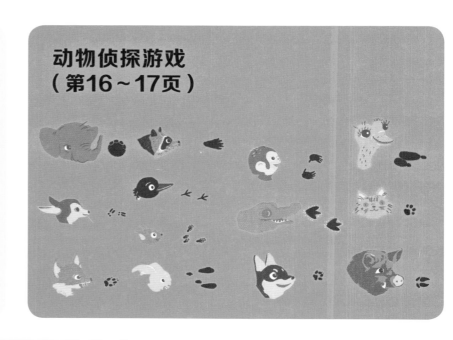

亚马孙热带雨林里的动物
（第24~25页）

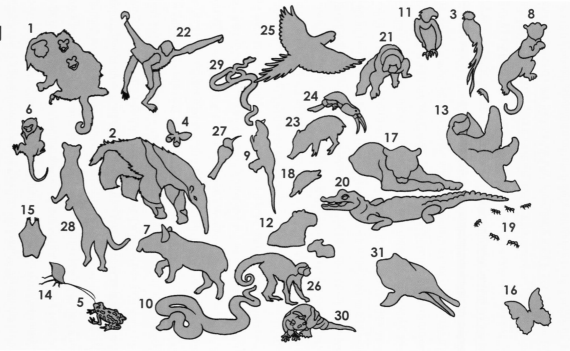

忙碌的海洋（第26~27页）

红章鱼有8条腕足。

在海底发生了什么事情呢？海草正在生长，螃蟹正在爬行，鱼儿躲了起来，海星和贝类悠闲地生活在海底。

有4只螃蟹。

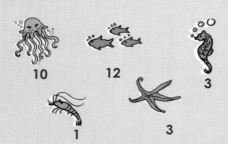

动物的一天
（第36～37页）

咕咕呼!

你全部答对了吗？

谁住在这些地方呢？
（第50～51页）

虹鱼
海星
蜘蛛蟹

蝴蝶
变色龙
竹节虫

兔子
蛇

海豹
北极狐

蚁穴（第42～43页）

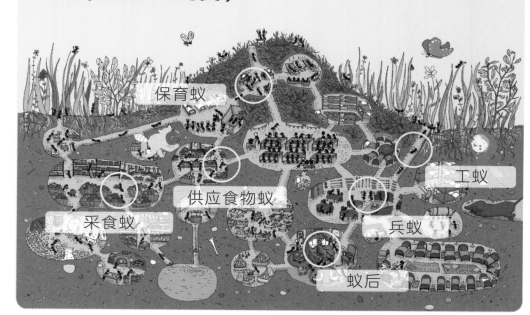

保育蚁

工蚁

供应食物蚁

采食蚁

兵蚁

蚁后

动物躲在哪里呢？
（第52～53页）

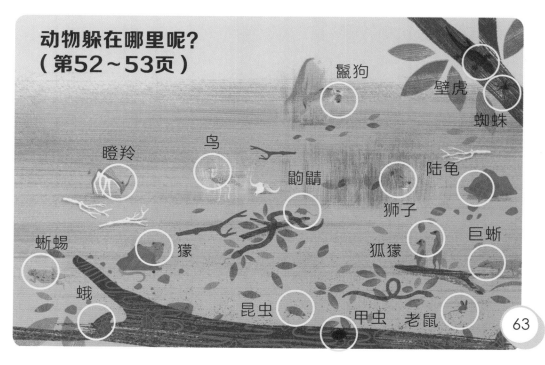

鬣狗
壁虎
蜘蛛
瞪羚
鸟
鸲鹛
陆龟
狮子
蜥蜴
獴
狐獴
巨蜥
蛾
昆虫
甲虫 老鼠

索引

三画

大猩猩 11,18
大熊猫 19
山羊 20
大食蚁兽 23
飞蛾 36

四画

长颈鹿 21
凤尾绿咬鹃 23
巨嘴鸟 23
切叶蚁 23
水豚 23,24
毛毛虫 47
巨蜥 52
水龟 57

五画

甲虫 10,11,52
鸟 10,21,28,29,
 41,44,52
北极熊 18,20
北极狐 31,51

六画

老鹰 10,11,19
企鹅 18,49
驯鹿 19
西貒 23
亚马孙河豚 23,24
老鼠 31,46,52
竹节虫 51

七画

角雕 23
龟 23,52

苍蝇 30,55,56
鸡 48

八画

狗 10
青蛙 10,11,21,45
鱼 10,26,27,46
变色龙 11,51
狐狸 18
凯门鳄 18,22
抹香鲸 18
虎猫 23
狐尾猴 23
金狮面狨 23
玫瑰水晶眼蝶 23
刺猬 28,29
松鼠 28,29
兔子 28,29,51
狐獴 52

九画

蚂蚁 10,42,43
骆驼 18,20
食人鱼 22
美洲豹 23
树蚺 23
树懒 23,24
虾 26,27
树袋熊 49
狮子 52
独角仙 57

十画

哺乳类 10,12
海洋动物 11,18

海豹 18,51
热带蜂鸟 23
倭狨 23
海马 26,27,49
海星 26,27,51
狼 36,48
恐龙 58,59

十一画

蛇 10,18,22,31,45,51
猫 10,49,54
袋鼠 19
象 19,48,55
绿森蚺 23,24
章鱼 26,27
猫头鹰 36,54
猪 48
银蚁 57

十二画

猴子 10
黑熊 18
棕熊 19
黑凯门鳄 23
筑帐蝠 23
紫蓝金刚鹦鹉 23,24

十三画

蓝闪蝶 23,24
蓝鲸 30
蛾 52
鼠妇 56
跳蚤 56

十四画

蜥蜴 10,52

蜜熊 23,24
蜘蛛猴 23,24
僧帽猴 23,25
蜘蛛 31,52,56
虹鱼 51
蜘蛛蟹 51
蜻蜓 57

十五画

箭毒蛙 23,24
蝙蝠 30
蝌蚪 45
蝴蝶 47,51
鲨鱼 55

十六画

鹦鹉 22
螃蟹 26,27
壁虎 52
獴 52

十七画

貘 23
蠡斯 23
磷虾 30

鳄鱼 40,41,49
瞪羚 52

十八画

鮟鱇 52

十九画

蹼足负鼠 23

二十五画

鬣狗 52

你可以在这里查一查不同专有名词的页码，利用首字的中文笔画来找出你要找的动物名称。

图书在版编目（CIP）数据

从蚂蚁到大象透视动物书 ／〔法〕苏菲·多瓦文；英国OKIDO工作室图；禾力译. —— 北京：北京联合出版公司，2018.5
（启发精选神奇透视绘本）
ISBN 978-7-5596-2089-7

Ⅰ. ①从… Ⅱ. ①苏… ②英… ③禾… Ⅲ. ①动物－少儿读物 Ⅳ. ①Q95－49

中国版本图书馆CIP数据核字(2018)第094625号

著作权合同登记 图字：01-2018-2779号

从蚂蚁到大象透视动物书
（启发精选神奇透视绘本）

文：〔法〕苏菲·多瓦 图：〔英〕OKIDO工作室 翻译：禾 力
选题策划：北京启发世纪图书有限责任公司
 台湾麦克股份有限公司
责任编辑：刘 恒
特约编辑：陈叶君 谢灵玲 郭 漫 特约美编：陈亚南 刘邵玲

My Animal Book

Published by arrangement with Thames & Hudson Ltd, London
My Animal Book © 2014 OKIDO
the arts and science magazine for kids
www.okido.co.uk
Written by Dr. Sophie Dauvois
Illustration and Design by OKIDO Studio: Alex Barrow, Sophie Dauvois,
Maggie Li and Rachel Ortas
Consultant: Barbara Taylor
This edition first published in China in 2018 by Beijing Cheerful Century Co., Ltd, Beijing
Simplified Chinese edition © 2018 Beijing Cheerful Century Co., Ltd
All Rights Reserved.

北京联合出版公司出版
（北京市西城区德外大街 83 号楼 9 层 100088）
恒美印务（广州）有限公司印刷 新华书店经销
字数105千字 787毫米×1092毫米 1/8 印张9
2018年5月第1版 2018年5月第1次印刷
ISBN 978-7-5596-2089-7
定价：68.00元